Les trésors de l'Islam

Peter Schienerl

Les planches en couleurs proviennent des archives
de la maison d'édition.
La maison d'édition remercie M. Fritz Lehnhoff-
Art islamique, Munich, pour sa collaboration
à cet ouvrage.

Traduit de l'allemand par Marie-Claude Riederer

En couverture:
Récipient de cérémonie osman, sous forme de gourde traditionnelle, en cuir pour contenir de l'eau. Le récipient, dont la fabrication fut réalisée avec des matériaux précieux (or, émeraude, rubis) était porté au sultan lors d'apparitions officielles par un officier de la cour. 16 cm de haut. 1560 environ ; musée de Topkapi, Istanbul. (devant)

Reliure somptueuse pour un spécimen du Coran, qui porte sur la page de garde la Tughra de Mahmud Ier (1730-1754). Mais la reliure dorée, agrémentée d'incrustations en émail et en nielle, polychrome, peut provenir d'une période antérieure, XVIe ou XVIIe siècle. 39 × 27 cm. Musée de Topkapi, Istanbul. (dos)

Droit de vente de l'édition française
Achevé d'imprimer : octobre 1996
Dépôt légal : novembre 1996
Reprographie : Fotolito Longo AG, Frangart, Italie
Photocomposition : Satz & Repro Grieb, Munich
Production : BOOKPRINT, S.L. BARCELONA
ISBN 2-7434-0810-3

Mosaïque osmane avec représentation de la mosquée de La Mecque. Koweit, Musée national.

L'ART ISLAMIQUE
L'ARRIERE-PLAN HISTORIQUE

La naissance d'une organisation politique concernant les fondements de l'islam, à Médine (622 ap. J.-C.), le Yatrib préislamique, ne peut pas être surestimée en ce qui concerne sa portée au niveau de l'histoire mondiale et culturelle. Mohammed, qui était originaire de la Mecque et qui se disait l'envoyé de Dieu, le sceau des prophètes, ainsi que l'annonciateur de la volonté divine – après Adam, Abraham, Moïse et Jésus –, dirigea le destin de la jeune communauté islamique jusqu'à sa mort (632 ap. J.-C.). Les révélations, qu'on lui atribua et qui furent justifiées par sa prétention absolue au pouvoir dans les affaires politiques, sociales et religieuses, sont

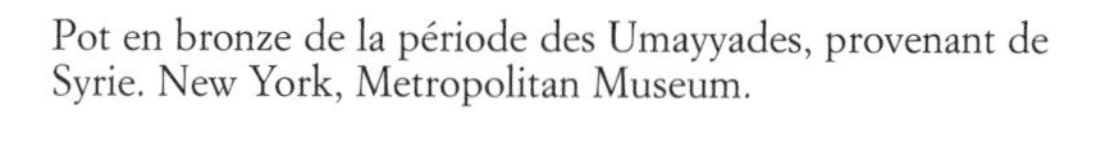

Pot en bronze de la période des Umayyades, provenant de Syrie. New York, Metropolitan Museum.

regroupées sous la forme du Coran. Le livre saint des musulmans forme ainsi les bases les plus importantes de toutes les négociations politiques et détermine la pensée morale, religieuse et idéologique à l'intérieur d'une communauté musulmane.

Le Coran, dans lequel se trouvent les révélations divines, donne à l'écriture arabe une signification en quelque sorte sacrée; un aspect qui rend en même temps compréhensible le rôle primordial de l'écriture dans la création artistique du monde islamique. En feuilletant ce livre, la signification de l'écriture, comme élément de création décorative, devient tout de suite évidente.

Alors que les musulmans de Médine, à l'époque de Mohammed, s'efforçaient de contrôler la ville de La Mecque, qui possédait la sainteté – préislamique – très importante de la Ka'ba, ce qu'ils réussirent juste avant la mort de l'envoyé d'Allah, un mouvement d'expansion se mit en place, pendant le règne des quatre premiers successeurs (représentants ou khalifes) de Mohammed, qui transforma, en l'espace de quelques années, l'Etat islamique en un grand empire.

Pot en bronze, trouvé en Egypte, de la période des Umayyades. Le Caire, Musée islamique.

L'origine de l'art islamique pendant la période umayyade

Sous la dynastie des Umayyades (661-750), qui dirigeaient l'empire à partir de Damas, leur ville de résidence, un processus se mit en place qui conduisit peu à peu à la formation d'un « art islamique » autonome. Le groupe de conquérants arabes, très faible en nombre, qui se préoccupait surtout de mener des guerres et de procéder à des contrôles militaires sur les régions ainsi acquises, devait reprendre les prestations de service des nouveaux sujets dans tous les autres domaines. Cela était valable aussi bien pour l'administration et le prélèvement des impôts, la mise à disposition des biens ayant trait aux besoins ordinaires, que pour les activités artisanales, l'architecture et la création artistique courante.

Les conditions dans lesquelles se trouvaient les conquérants arabes dans les différentes régions nouvellement acquises de leur empire, étaient loin d'être homogènes. La Syrie, qui était avant un élément de l'Empire romain byzantin oriental, poursuivait du point de vue artistique des traditions différentes de celles de l'Egypte, où la vie culturelle n'était pas seulement marquée par Byzance mais aussi par des éléments locaux (coptes). Au Maghreb, et aussi en

Espagne depuis 711, les conquérants musulmans, ayant des cultures issues de provinces romaines occidentales, se faisaient face. Des éléments germaniques (Vandales, Wisigoth, etc.) s'étaient greffés sur ces cultures et de fortes influences de la culture berbère étaient encore à attendre.

A l'Est, les Arabes avaient mis sous leur contrôle, par la conquête de l'Empire des Sassanides, des domaines dont la création artistique suivait surtout les traditions iraniennes, et dans laquelle on pouvait aussi remarquer un héritage de la culture orientale ancienne. Pendant des siècles, l'opposition politique entre Rome/Byzance et l'Empire des Sassanides (226-652 ap. J.-C.) avait séparé le monde méditerranéen-hellénique de la culture iranienne de l'Empire néoperse. Malgré quelques points de rencontre et des influences réciproques, ces deux régions se trouvaient du point de vue artistique dans des milieux nettement séparés.

Avec l'expansion arabe, cette séparation politique fut brusquement supprimée. Un artisan qui exerçait son métier en Andalousie, faisait partie, à l'époque des Umayyades, du même organisme d'Etat qu'un dinandier du Chorasan, l'Afghanistan actuel. La Syrie était le centre du pouvoir politique de cet Empire arabe, et là les khalifes de la dynastie des Umayyades employaient des artistes de toutes les parties du territoire qu'ils avaient conquises, pour démontrer ouvertement leur puissance impériale au monde entier. Un tel climat cachait naturellement le grand danger qu'un conglomérat, formé désormais à partir de traditions voisines mais de conception artistique différente, puisse naître pour des motifs d'incompréhension. Cela aurait fait perdre ainsi, dès le début, toute prétention à une imitation aux aspects multiples, qui aurait servi comme expression artistique d'un nouveau monde.

L'acceptation et le rejet, l'adaptation et la synthèse des traditions artistiques puissantes se trouvant dans les cultures préislamiques de l'Empire arabe conduisirent peu à peu à la construction d'un art islamique spécifique. Mais celui-ci ne rejetait pas ses racines préislamiques, il réussissait à réaliser une autonomie complète par le choix de la synthèse et par le développement d'éléments qu'il reprit ultérieurement.

C'est ainsi que l'ornement de rinceaux de vignes datant de la fin de l'Antiquité, forma le point de départ du développement des arabesques. Chaque motif de décor paraissait être infini. Cela prit, dans tous les domaines de la création artistique islamique, une position particulièrement importante et cela laisse reconnaître, par sa dénomination dans les langues européennes, les liens étroits avec le monde islamique arabe. Que ce soit par la décoration des bâtiments sacrés ou par l'ornementation des objets métalliques et d'autres réalisations artisanales sous une forme artistique, l'arabesque trouve toujours un large domaine d'utilisation. La signification des décors utilisant l'arabesque ne repose pas en fin de compte dans le fait qu'elle peut être mise en harmonie avec l'écriture arabe, qui – comme nous l'avons déjà rapidement décrit – est devenue, par sa liaison avec l'islam, un élément très important de la pensée musulmane. En prenant des motifs naturalistes, comme la représentation d'animaux et de plantes, mais aussi par la création artistique d'us-

Fragment d'un grillage de fenêtre provenant d'un palais umayyade. Berlin, Musée d'art islamique.

tensiles de la vie de tous les jours, on peut reconnaître une très forte tendance à l'abstraction.

A ce propos, on doit dire aussi un mot sur la prétendue « interdiction des images » dans l'art islamique. Une opinion très largement répandue, mais fausse, eut pour conséquence de décider l'interdiction des images dans le Coran. Cette décision sanctionnait la représentation humaine et animale comme un manquement à la volonté divine. Le défaut de représentation d'hommes et d'animaux que l'on peut souvent remarquer dans le domaine sacré, comme dans la décoration des mosquées, qui semble protéger l'idée de l'« aversion aux images » de l'islam, est seulement le résultat de réflexions théologiques post-coraniques. Celui qui examine souvent les collections d'objets d'art islamique remarquera aussitôt que de telles décisions à certaines époques et dans certaines régions sont réstées sans grande influence.

Les représentations animales ne sont pas exceptionnelles sur les mosaïques des mosquées perses d'une époque ultérieure. On remarque également à peine une « interdiction d'images » dans le décor des monuments seldjoucide sacrés de l'Asie Mineure. Dans le domaine profane, des peintures murales se trouvant dans les châteaux du désert montrent, à l'époque des Umayyades ou en Andalousie, des représentations figuratives d'hommes et d'animaux. On trouve aussi des scènes avec des hommes et des animaux sur les nombreux objets métalliques précieux du Moyen Age islamique. On peut même aussi en voir quelquefois sur les pièces de monnaie, qui portent normalement des reproductions de textes religieux.

L'illustration des livres et l'art textile des peuples islamiques nous montrent de façon encore plus évidente qu'il n'a pu être question dans l'art islamique d'une « aversion aux images » de façon continue et absolue.

Même la reproduction des hommes et des animaux sous une forme entièrement plastique n'a pas été complètement anathématisée, comme on l'a souvent cru. Les représentations de personnes, intégralement plastiques, qu'on a trouvées dans les châteaux des princes umayyades, ainsi que les objets métalliques innombrables sous l'aspect d'animaux, sont appréciés dans le monde perse mais aussi dans d'autres régions.

La formation d'un art caractéristique islamique, qui se particularise par la prédominance d'ornements décoratifs remplissant la plupart des surfaces, par l'abstraction de formes naturelles et par l'utilisation de l'écriture – arabe – comme un élément essentiel de l'expression artistique, eut lieu à l'époque des Umayyades. Naturellement ce processus trouva son prolongement à l'époque suivante, celle des khalifes abbassides (750-1258).

Il est très significatif que l'art islamique, issu de synthèses importantes des éléments préislamiques, s'est montré plus tard assez puissant pour assimiler les influences étrangères à caractères très variés, qui avaient été mises à jour par la création artistique islamique au cours des siècles suivants, sans pour autant perdre son identité. Il est évident que la religion de l'Islam a joué un rôle important, et c'est grâce à elle que les éléments aux aspects les plus disparates ont pu se concilier dans l'art islamique.

Coupe provenant d'Iran, IXe siècle. Riad, King Faisal Centre.

Coupe (type samarra) avec peinture lustrée, IXe siècle. Paris, Louvre.

Le khalifat des Abbasides (750-1258)

Le règne des Umayyades s'acheva après des crises internes très violentes et des luttes causées par une révolution. Celle-ci eut lieu en 750, soutenue par des groupes anti-umayyades ayant des objectifs très différents. A cause de cette révolution qui avait commencé à l'est de l'empire, la dynastie des Abbassides arriva au pouvoir. Elle transféra le centre politique de l'Empire islamique de la Syrie vers l'Iraq et résida le plus souvent à Bagdad, capitale qu'elle avait fondée en 762. Pendant un demi-siècle, jusqu'à la conquête et le ravage effectués par les Mongols Hulaghus (en 1258), Bagdad resta le centre du monde islamique.

La prise de pouvoir des Abbassides, qui étaient issus de l'ancienne noblesse de la Mecque, eut deux conséquences qui se prolongèrent sur une longue periode et engendrèrent aussi un échec quant à la création artistique du monde islamique. Tout d'abord, on doit signaler le fait que sous la dynastie des khalifes, le centre du pouvoir de l'empire ne se trouvant plus dans le secteur marqué à l'origine par la culture byzantine-romaine-hellénistique, comme cela avait été le cas pour Damas, la culture islamique se trouvait désormais au sein d'un groupe d'influences toujours plus grandes de traditions iraniennes. Cela est également valable pour l'admi-

Parfumoir en forme d'oiseau. Iran, VIIIe siècle. Berlin, Musée d'art islamique.

nistration, la littérature, l'architecture et tous les autres domaines de création artistique, qui furent imprégnés. Le caractère de modèle, qui est propre à chaque métropole, conduisit à ce qu'on imitât aussi cette tendance, dans des régions qui se trouvaient avant en dehors de toute influence perse.

Une conséquence du déplacement du centre politique vers l'est consistait à ce qu'il fût possible, dans la partie occidentale de l'empire, de devenir pratiquement indépendant, de telle façon que l'Espagne musulmane (al-Andalus) pût poursuivre une existence autonome sous le règne d'un prince umayyade qui avait échappé au massacre de 750. Ce détachement non fondé sur le droit public, tout d'abord accompli de façon pratique d'une partie de l'Etat musulman, se trouve au début d'un développement qui devait décider de l'histoire des khalifes au cours des siècles suivants.

De forts pouvoirs centrifuges, qui purent être contrôlés sous le règne puissant des premiers khalifes abbassides, grâce à leur efficacité plus étendue, conduisirent plus tard à des démembrements politiques dus aux faibles personnalités des souverains en place. Parmi les dynasties locales, comme par exemple les Samanides en Transoxanie (depuis 1819, gouverneurs de Chorasan) ou ceux des Ghaznavides en Afghanistan et au Nord de l'Inde qui exigeaient pratiquement leur indépendance, mais également dans la dynastie arabe des Hamanides de Mossoul et d'Alep, il régna au Xe siècle un état de front réel autonome, dont la tâche principale consistait à enrayer les attaques de l'Empire byzantin redevenu puissant. En Egypte, la dynastie des mercenaires turcs Ahmad ibn Tulun fut fondée, avant d'être nommée en 868 gouverneur des khalifes pour la région du Nil, qui était devenue domaine de pouvoir pratiquement indépendant.

Les résidences de tous ces sous-princes, dont on ne citera que les principaux, furent aussi des centres artistiques. Ces derniers reconnurent la souveraineté du khalife à Bagdad et se sentirent seulement légitimés, comme souverains reconnus par la loi, lors de leur investiture officielle proclamée par le khalife. En tant que mécènes, ils cherchaient à imiter la somptuosité de la cour du khalife. Mais on peut constater dans ces nouvelles métropoles artistiques, la présence locale très ancienne qui avait tendance à prendre de plus en plus d'importance. Dans les recherches artistiques et culturelles des Samanides, par exemple, on peut observer une promotion voulue des éléments iraniens, alors que dans l'art des Tulunides, non seulement l'assimilation d'éléments de style irakien de l'époque est patente, mais des traditions égyptiennes locales s'y sont aussi manifestées.

La perte du pouvoir que connut le khalife au cours des IXe et Xe siècles eut aussi une grande incidence sur la composition ethnique de la classe dirigeante politique de l'Empire.

L'élément arabe avait été repoussé après l'entrée au gouvernement abbasside d'une classe dirigeante perse islamisée. Et au moment où la situation des khalifes devint de plus en plus périlleuse, les « princes des croyants » attaquèrent surtout les Turcs de l'Asie centrale, qui étaient chargés, en tant que gardes personnels, de veiller à la sécurité du khalife et au maintien de son autorité au centre de l'Empire.

Cadenas en forme d'éléphant. Iran, VIIIe/IXe siècles. Georgeville, Bumiller Collection (BC. 1243).

Bouteille en forme de tête d'animal, provenant d'Iran IXᵉ/Xᵉ siècles. Georgeville, Bumiller Collection (BC. 038).

Le fait que ces formations militaires – qui ressemblaient aux gardes prétoriennes du temps de l'Empire romain – acquirent bientôt une influence politique à la cour du khalife, et que l'autorité de celui-ci s'en trouvât réduite d'autant ne fut qu'une conséquence logique. Quoique le renforcement de l'élément turc dans la structure du pouvoir de l'Empire islamique n'eût tout d'abord que peu d'influence sur la création artistique de l'époque, et que cette nouvelle classe au pouvoir tombât dans un premier temps sous le charme des courants culturels qui prédominaient en Irak, la présence d'unités turques devait être comprise comme le signe précurseur d'un envahissement ultérieur des Seldjouks d'origine turque, qui voulaient, pour leur part, influencer très fortement à l'art islamique.

Mouvements chiites – les Fatimides

Il a été question ci-dessus des pouvoirs centrifuges par lesquels les événements politiques de l'époque du khalifat abbasside furent déterminés. Mais nous avons omis de signaler un aspect très important de ce développement : le rôle que les courants chiites ont joué lors des premiers signes de décadence de l'Empire islamique. Depuis la mort de Mohammed, il y avait des cercles à l'intérieur de la communauté musulmane pour qui Ali, le gendre de Mohammed, et sa descendance étaient les seuls à pouvoir décider du sort de la communauté musulmane et ainsi à diriger l'état islamique. Le « parti (Schia) d'Ali » chercha aussi à imposer ce point de vue par la force des armes, et c'est ainsi que, déjà à l'époque des Umayyades, il y eut des guerres civiles et des soulèvements. Le mouvement de révoltes, qui avait au milieu du VIIIe siècle placé les Abbassides au pouvoir, avait été mis en place par des groupes chiites. Ces groupes, constatant qu'aucun alide n'obtenait la dignité de khalife, se voyaient trompés et se trouvaient ainsi opposés aux Abbassides comme ils l'avaient été jadis aux Umayyades.

La Schia déchue et divisée en un nombre important de sous-groupes, jamais homogènes – luttant bien souvent entre eux –, se servit d'un système très efficace de propagande religieuse et politique, grâce auquel des groupes chiites isolés réussirent à profiter du mécontentement dû à la situation sociale, économique et politique parmi la population d'une région, pour atteindre leurs buts et ainsi augmenter le nombre de leurs partisans. En coopération avec

Coupe samanide avec décor manuscrit. Xe siècle. Koweit, Musée national.

Figure de cerf, en bronze. Egypte, X^e^/XIe siècles. Munich, Musée national du folklore.

les pouvoirs centrifuges à l'intérieur de l'empire du khalife, certains de ces mouvements chiites gagnèrent sur ce point une grande influence dès qu'il leur fut possible d'établir des Etats pratiquement indépendants du khalifat de Bagdad. De plus, ils se trouvaient, en raison de leur idéologie, en opposition avec le khalifat de la dynastie abbasside.

Déjà en 789, la dynastie alide des Idrisides s'était établie au Maroc. Bien que la fondation d'un Etat, gouverné par un Alide et formé à partir d'un soulèvement d'esclaves noirs (Zendi) en Irak du sud, ne restât qu'un épisode (870-883) et que la constitution d'un Etat créé par les Zaidites au Yémen eût lieu en 897, sans conséquence grave pour l'ensemble de l'empire, l'Etat des Qarmates, s'étendant sur la côte est de la péninsule arabe et à Bahreï, créa en 894 une situation des plus douteuses. Ces sectaires chiites ne craignirent pas de massacrer des pèlerins musulmans en route pour la Mecque, de briser la « pierre noire » de la Ka'ba et de démontrer nettement, du fait qu'ils étaient, par leur position géographique, tout à côté de Bagdad, la faiblesse du khalifat.

Ainsi l'action lourde de conséquences des chiites fut la prise de pouvoir, en 909, des Fatamides dans la Tunisie actuelle d'où ils pro-

Sculpture fatimide en bronze. Pise, Campo Santo.

gressèrent vers l'Egypte, par l'est, pour la conquérir en 969. La cour des Fatimides à l'époque de laquelle fut construit Le Caire, ville de palais, domina bientôt en richesse et en opulence la résidence du khalife abbasside à Bagdad et provoqua l'étonnement des croisés chrétiens. Avec l'installation du règne des Fatimides, qui devaient leur origine à Fatima, fille de Mohammed et de sa femme Ali, l'unité de Dar ul Islam, qui était jusque-là conservée tout au moins en théorie, prit fin. Certes, on pouvait jusqu'à cette époque mettre en question la personne du khalife, mais pas le principe selon lequel il ne pouvait exister, au regard de la loi, qu'un seul khalife à qui on puisse confier le commandement de tous les musulmans. Ainsi, l'unité de Dar ul Islam doit être comprise par la proclamation du khalifat des Fatimides. Elle sert à exprimer que désormais les Fatimides chiites – dans un monde largement dominé par des groupes chiites (voir ci-dessus) – revendiquaient le commandement de tout Dar ul Islam. Par opposition au khalife abbasside de Bagdad, le khalifat des Fatimides menait une propagande religieuse et politique, qui visait à réaliser l'unité du monde islamique, c'est-à-dire la destruction du khalifat abbasside. Ainsi ce contre-khalifat des Fatimides encouragea le souverain umayyade d'Espagne, qui

Récipient à anse, fatimide, ciselé dans du cristal de roche. Egypte, XIe/XIIe siècles. Vienne, Musée d'histoire de l'art.

s'était contenté jusque-là du titre de prince, à réclamer son titre de khalife. C'est par ce fait que la séparation effective, mais réalisée depuis longtemps entre l'Espagne et le khalifat abbasside, fut aussi reconnue du point de vue du droit public.

La Xe siècle fut marqué totalement par des mouvements chiites devenant de plus en plus puissants. On peut observer la limite de ce développement par le fait qu'en 977, le Buide Adul-ad-Daula, lui-même chiite modéré, obtint le titre royal de khalife abbasside. On lui confia aussi le commandement militaire et politique de l'empire. Au nom du khalife orthodoxe abbasside, les Buides chiites de Bagdad gouvernèrent le khalifat jusqu'à ce qu'ils fussent remplacés par les Seldjouks.

L'Egypte vécut, sous la dynastie des Fatimides (969-1171), une fructueuse période de développement artistique et de nombreuses créations, datant de l'époque des Fatimides, ont même trouvé en Europe une place dans les trésors des dignitaires ecclésiastiques et profanes du Moyen Age. Les sculptures fatimides sur ivoire furent tout particulièrement prisées, comme les célèbres oliphants ou les coffrets d'ivoire de forme très raffinée, dont on a retrouvé quelques exemplaires dans des trésors de l'Eglise chrétienne. Les objets ciselés dans le cristal de roche ont également bénéficié d'un grand prestige. D'après un inventaire arabe, on en aurait trouvé

18 000 pièces dans le trésor du khalife fatimide. Le griffon à Pise et beaucoup d'autres travaux de dinanderie – quelquefois sous la forme d'animaux – sont le témoignage de la haute réalisation artistique des dinandiers fatimides. La céramique illustre qui fut de tous temps fabriquée au Caire, représente l'une des plus belles réalisations de la création artistique islamique, autant d'un point de vue technique qu'artistique.

Les Seldjoukides, pionniers de l'orthodoxie islamique

Déjà en rapport avec la formation des gardes du corps, qui étaient chargés de la sécurité personnelle du « prince des croyants » à la cour du khalife abbasside à Bagdad, nous avons mentionné le rôle des Turcs en Asie centrale. Tout d'abord, en dehors de la zone d'influence politique de l'Empire islamique, les régions d'Asie centrale se trouvèrent bientôt, les guerres, les relations commerciales et les activités des missionnaires aidant, peu à peu fascinées par la culture islamique. Ce développement se révéla d'une importance exceptionnelle pour l'histoire du monde islamique. Car à partir de là, commença finalement la réorthodoxisation de l'Empire des Abbassides, dont les origines turques avaient été, souvent pour une courte durée, islamisées. L'empire – comme nous l'avons déjà vu – tomba de plus en plus sous l'influence des différents mouvements chiites.

A l'époque où Seldjouk, celui qui donna son nom à la dynastie

Récipient en bronze, en forme de lion. Egypte, XIe siècle. Le Caire, Musée islamique.

des Sedjouks, se convertit avec sa famille à la religion de l'Islam, et à l'époque où ses fils intervinrent alors de façon durable dans les événements de l'Empire oriental abbasside, à Chorasan et en Perse, une nouvelle époque commença. Le règne des Buides chiites renversé, Togrul Beg, à qui le khalife avait accordé le titre de « sultan de l'Orient et de l'Occident », fut pratiquement le souverain de l'Empire des khalifes. Il s'engagea, lors de son investiture, à lutter contre les Fatimides et tous les autres mouvements chiites; une promesse qui fut, la plupart du temps, respectée par lui-même et par ses successeurs.

L'année 1055, pendant laquelle les Seldjouks prirent possession de Bagdad, peut être désignée à juste titre comme un tournant historique d'un point de vue mondial. La prise de pouvoir politique et militaire du « Grand Seldjouk » fut le point de départ d'un processus qui devait mettre fin à l'influence politique des groupes chiites. Il faut l'attribuer au besoin d'expansion des guerriers turcomans, sur lesquels s'appuyaient les Seldjouks, et au fait que l'Asie Mineure, aujourd'hui le cœur de la Turquie moderne, fut séparée de Byzance en 1071, après des luttes violentes. Envahie par des guerriers turcs et des tribus

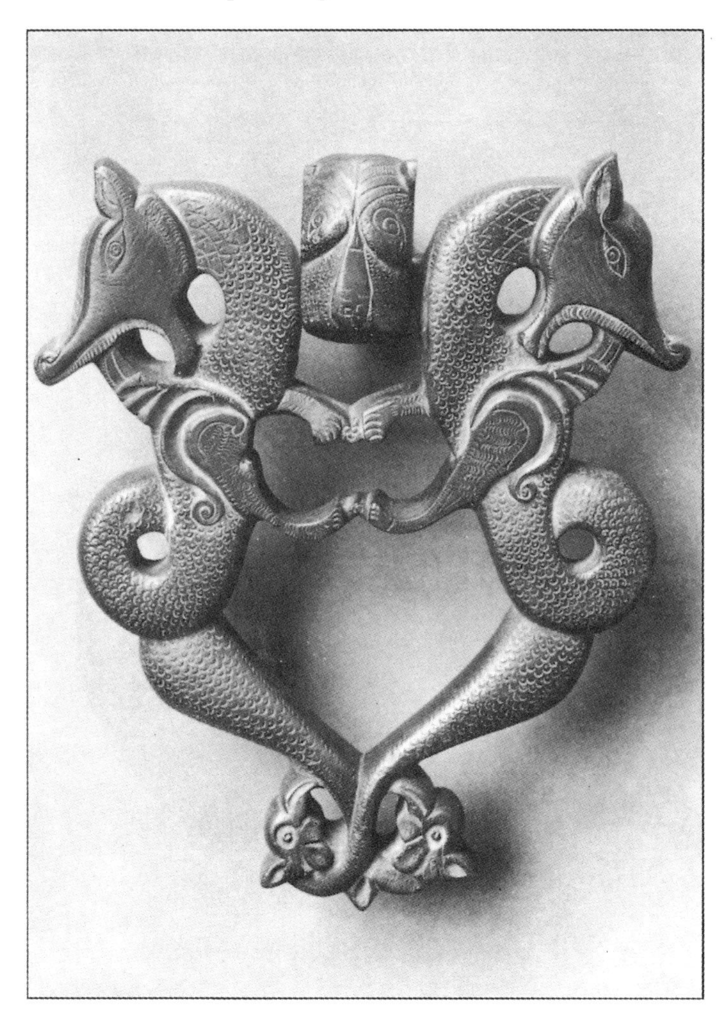

Heurtoir, provenant du nord de la Mésopotamie. XIIIe siècle. Berlin, Musée d'art islamique.

Miroir en bronze (dos) de l'Iran, XIe/XIIe siècles. New York, Metropolitan Museum.

nomades, l'Asie Mineure fut rapidement rendue turque et islamisée, atteignant sous le règne des « Rum – Seldjouks » (Byzance) un épanouissement culturel de haute qualité pour devenir finalement le sol nourricier de la dernière grande dynastie musulmane, celle des Osmans.

Les succès militaires que les Seldjouks obtinrent contre la Byzance chrétienne et le khalifat chiite des Fatimides, et qui concernaient aussi Jérusalem, déclenchèrent sur le territoire occidental chrétien des émotions religieuses de grande intensité. Le chemin passant par l'Asie Mineure, emprunté par les pèlerins chrétiens qui se dirigeaient vers les villes saintes de Palestine, fut fermé par les Rum-Seldjouks. La première croisade prit fin en 1099 avec la conquête de Jérusalem et le bain de sang que les conquérants provoquèrent parmi la population du pays. Cette conquête agrandit

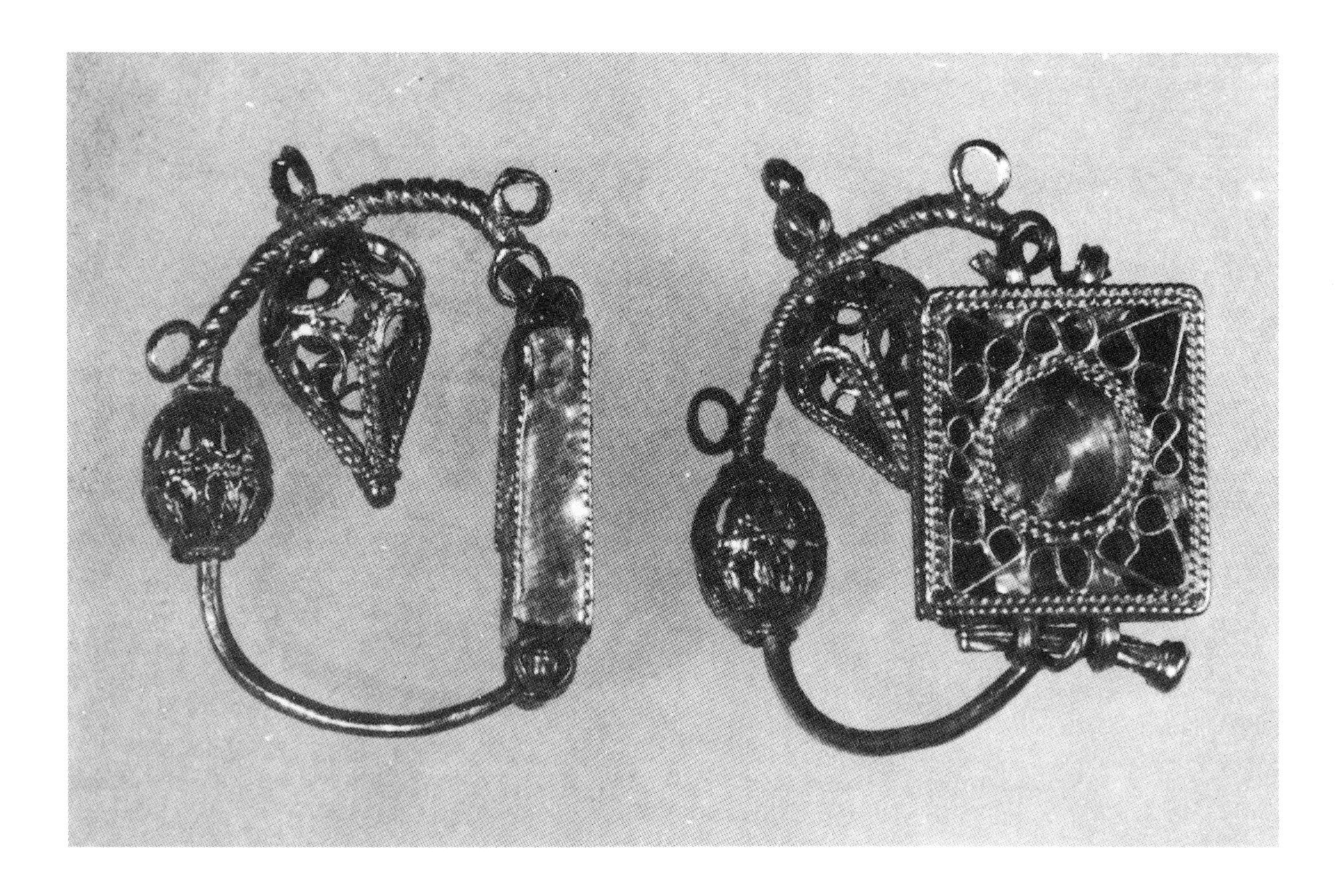

Boucles d'oreilles de la période des Seldjoukides, d'Iran. XIe ou XIIe siècle. New York, Metropolitan Museum.

le royaume latin de Jérusalem, dont les dernières traces devaient disparaître des cartes géographiques seulement deux siècles plus tard. Avec l'intervention des croisés occidentaux, une configuration totalement nouvelle de la politique du pouvoir fut créée dans la partie orientale de la Méditerranée. Mais plus important encore est le fait qu'une barrière fut construite, due aux différences de mentalités entre l'Occident et le monde islamique, et continue de nos jours à se maintenir.

Après avoir étudié l'aspect historique, du point de vue mondial, de l'année 1055, revenons à l'action des Seldjouks comme facteur servant de référence culturelle. Le but évident des nouveaux possesseurs du pouvoir consistait à aider l'orthodoxie islamique à reconquérir le pouvoir et à supprimer le sectarisme chiite, tout particulièrement les Fatimides. Cette tendance permit aux Seldjouks et à leurs héritiers politiques de devenir non seulement des guerriers mais aussi des mécènes très généreux, qui placèrent l'art, ainsi que l'architecture, au service de leur politique religieuse. Par la construction et l'installation de nombreuses écoles de théologie, appelées madrasas, dans lesquelles devait être formée la nouvelle classe religieuse du pouvoir éduquée d'après les principes de l'orthodoxie islamique, l'art artisanal subit dans tous les domaines des influences seldjucides très fortes. Par la restauration de l'ordre, la sécurité régnant sur les routes commerciales à l'intérieur des domaines administrés par les Seldjouks sous l'autorité de personnalités princières énergiques et souvent protectrices de l'art, il fut possible à une classe de bourgeois aisés, qui s'étendait de plus en plus, d'acquérir des objets de luxe à bas prix, dont la fabrication était la tâche de l'art artisanal local.

La période des atabegs – Zeugides et Ayyubides en guerre contre les croisés et les Fatimides

Correspondant à la tradition des peuples nomades turcs, le domaine de pouvoir des Seldjouks fut partagé, à la mort du sultan, en plusieurs empires individuels, qui furent gouvernés de père en fils. Avec ce système d'héritage, qui certes conservait constamment l'unité du royaume, mais qui, en pratique, conduisait la plupart du temps à des désaccords au sein des familles, l'union des Etats seldjucides et leur puissance furent mises à l'épreuve. Les sultans des Seldjouks de Rum, qui avaient leur résidence à Konya, menèrent une politique totalement indépendante de celle du Grand Seldjouk. Les merveilleuses constructions dans les capitales, à Sivas et Nigde, avec leur ornementation monumentale très riche et leurs décorations de mosaïque brillante sont, encore de nos jours, un témoignage de l'épanouissement artistique de l'Asie Mineure, qui est devenue, seulement depuis peu, une patrie du monde islamique.

La dynastie du Grand Seldjouk, c'est-à-dire le seigneur seldjucide de l'Iran, de l'Irak et de la Syrie, perdit le pouvoir à cause du système de partage de l'héritage, et à partir de l'année 1118, toute union communautaire manqua dans le commerce politique seldjucide. Des militaires énergiques et des administrateurs compétents, qui exerçaient le pouvoir comme atabegs (éducateurs des princes) au nom de princes seldjucides mineurs ou incapables de gouverner, purent créer à l'intérieur de l'empire évidé un espace de liberté, dont ils avaient besoin pour réaliser leurs ambitions.

Une des personnalités les plus importantes qui doit être nommée à ce propos, est Imad ed Din Zengi (1127-1146). En tant que gouverneur de Mossoul, il put conquérir aussi Alep, ville de la Syrie du Nord et prit sous son contrôle les régions, à l'époque très importantes du point de vue économique, du nord de la Syrie, du nord de l'Irak et du Sud de la Turquie actuelle. On peut ajouter qu'il prit très au sérieux la lutte contre les croisés. Lui-même conquit, en 1144, le comté d'Edessa, le point d'appui le plus septentrional et en même temps le plus oriental du royaume de Jérusalem.

Les activités politiques de son fils Nur ed Din (1146-1174) étaient dirigées de la même façon contre les croisés, cependant il poursuivait aussi la politique affichée par les Seldjouks, en s'opposant aux influences des mouvements chiites à l'intérieur du monde islamique. Le fait d'avoir annexé Damas à sa sphère de pouvoir et de s'être emparé de toute la Syrie, fit que Nur ed Din se rapprocha dangereusement du royaume de Jérusalem. Sa décision d'envahir l'Egypte, où se trouvait encore le khalifat des Fatimides, servait non seulement la restauration de l'orthodoxie en Egypte, mais aussi l'ouverture d'un nouveau front au sud contre les Etats des croisés.

Cependant Nur ed Din n'était pas seul. Son subordonné, Salah ed Din, qui appartenait à l'armée expéditionnaire, devait provoquer un tournant décisif pour l'Egypte. Lors d'un coup d'Etat exécuté

Travail sur bois ayyubide provenant du tombeau de l'imam Schafii, Le Caire.

sans épanchement de sang, il mit fin en 1071 au khalifat fatimide. Après une domination chiite de plus de deux siècles, l'Egypte fut placée à nouveau sous l'autorité du khalife abbasside, à Bagdad, et la région du Nil devint en même temps la base de pouvoir pour Salah ed Din, qui fonda pour lui et ses descendants, les Eyyubides, un empire pratiquement indépendant. La mort de Nur ed Din lui donna la possibilité de s'emparer de la Syrie et il prit en plus la Nubie et la côte ouest de la péninsule arabe sous son contrôle.

Le royaume de Jérusalem, qui ne devait pas son existence à la désunion de ses voisins musulmans, se trouva, à partir de ce moment, en face d'un seul adversaire très puissant, qui avait inclus pour ainsi dire le territoire chrétien. Dans la bataille de Hittin en 1187, les croisés furent totalement vaincus. La même année, Saladin conquit aussi Jérusalem, et cela devait durer encore environ un siècle jusqu'à ce que le point de chute des croisés fut abandonné. Le rôle des chevaliers chrétiens en tant que pouvoir intervenant dans le territoire syrien s'acheva.

Les successeurs de Salah ed Din, qui détruisirent eux-mêmes la position de pouvoir des Eyyubides par de nouveaux partages de leurs territoires, par des disputes qui devenaient inévitables et par des désaccords belliqueux, se montrèrent incapables de régler de façon équitable les problèmes qui existaient à cette époque parmi les souverains musulmans. Pendant que dans le nord-est du monde islamique, en Tranoxanie, le royaume du shah Choresm Mohammed (1200-1220) étendait sa très importante suprématie militaire dans les régions occidentales du khalifat, se créait un nombre important d'états de petite et moyenne tailles, qui étaient gouvernés par des princes seldjucides, zengides ou éyyubides, et qui avaient confié, dans beaucoup de cas, la conduite politique et militaire de leurs états aux atabegs.

Mossoul, la capitale d'atabeg Bard ed Din (1222-1259) se transforma dans la première moitié du XIIIe siècle en un centre magnifique d'art décoratif islamique, et la renommée de sa dinanderie, agrémentée de fins damasquinages d'argent et d'or, fut si grande que beaucoup de dinandiers se désignèrent dans les années ultérieures du surnom honorifique de al-Mawsuli (c'est-à-dire, « issu de Mossoul »).

La frappe des monnaies des Artukides, sur le territoire situé au nord de la Syrie et au sud-est de la Turquie, acquit, grâce à l'utilisation importante de motifs figuratifs réalisés sur les pièces de cuivre et représentatifs de l'art numismatique islamique de la région, une dimension tout à fait nouvelle. Les riches traditions artistiques de la Syrie et de l'Egypte furent conservées à la cour des princes éyyubides. Dans l'est du monde islamique également le shah Choresm

Gobelet en céramique égyptien avec des armoiries mameloukes. Berlin, Musée d'art islamique.

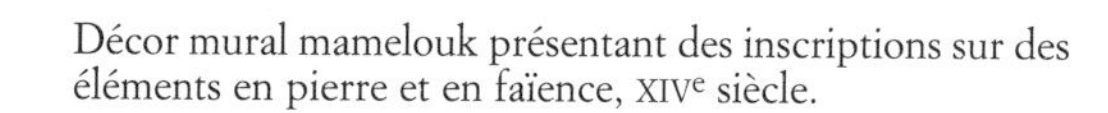

Décor mural mamelouk présentant des inscriptions sur des éléments en pierre et en faïence, XIVe siècle.

s'efforça d'exprimer son importance politique en conservant dans sa cour des traditions influencées par la culture iranienne et en développant le mécénat artistique.

Rien ne laissait donc supposer que le XIIIe siècle mènerait le monde islamique à une catastrophe qui entraîna une réorientation totalement nouvelle de Dar ul Islam.

Mongols et Mameluks

Les destructions provoquées par les Mongols de Gengis Khan lors de leurs attaques sur le territoire du shah Choresm (1219-1220) et plus tard lorsque Hulaghu vainquit Bagdad, en 1258, bloquèrent totalement la vie culturelle sur les territoires ravagés. Les sultans mameluks (1250-1517) avaient remplacé au pouvoir la dynastie des Eyyubides en Egypte et en Syrie. Cela était dû à la fin de la progression des Mongols païens. Dans la bataille de la source de Goliath (1260), ils poussèrent les envahisseurs vers un échec tel que la Syrie resta en dehors de l'influence mongole.

Les Mameluks, caste militaire dont les membres étaient des enfants de l'Asie Centrale ou du Caucase enlevés comme esclaves et transformés en guerriers très efficaces et musulmans croyants par une éducation longue et difficile, étaient devenus ainsi les libérateurs de Dar ul Islam. Leurs premiers sultans avaient été, grâce à leur investiture par le khalife abbasside de Bagdad, légitimés comme souverains. Après que les Mongols eurent tué, lors de la conquête de Bagdad, le dernier khalife de la maison des Abbassides, il n'y eut plus aucune instance pour légitimer, par la suite, un

Coupelle de mendiant en laiton, pour derviche. Safavide, Iran (vers 1550).

souverain dans le monde islamique. Le sultan Baibar (1260-1277), membre de la Maison des Abbassides, qui avait fui vers le Caire, régla le problème : il reçut les hommages en tant que khalife et se fit confirmer de façon officielle comme sultan. Cette dynastie abbasside du Caire, pour qui toute influence en politique était interdite et à qui, en tant que khalife, revenait la tâche de créer les bases légales pour la souveraineté des sultans mameluks de l'époque, resta en poste jusqu'à la conquête de l'Egypte par les Osmans. Cette dynastie aurait même aidé les Osmans à obtenir une légitimation fondée sur le droit public.

En plus de la défense des Mongols païens, il faut citer aussi la destruction du dernier point de chute des croisés en Palestine comme le résultat le plus important des actions mameluks. Il n'est pas nécessaire de décrire ici les innombrables luttes de pouvoir internes qui ont jalonné l'histoire des Mameluks. Il suffit seulement de signaler l'endurance des Mameluks dans la technique guerrière, qui leur permit de vaincre les Mongols et empêcha que la cavalerie mameluk s'habituât aux avantages des armes à feu, utilisées par les Osmans.

Par son rôle de lieu d'échanges de marchandises, qui arrivaient de l'Extrême-Orient, de l'Inde et de l'Afrique centrale, l'Etat des Mameluks disposait de revenus très importants, car ces marchandises, très appréciées à la fin du Moyen Age, atteignaient des prix élevés.

Sous le règne des Mameluks, l'art connut un grand épanouissement, mais ce n'était pas dû seulement au fait que de nombreux artisans, qui cherchaient à fuir devant les Mongols, s'installèrent sur le territoire des Mameluks. Ils acquéraient aussi, par de nouvelles

Type d'étendard utilisé lors des défilés des derviches (Egypte, XIXe siècle). Munich, collection privée.

influences artistiques, un savoir-faire dans le domaine de l'art artisanal à caractère très varié en Syrie et en Egypte. Les travaux de dinanderie, damasquinés de façon magnifique, comme on en fabriqua à Mossoul, les produits des souffleurs de verre, les célèbres tapis des Mameluks, qui ont été conservés en très peu d'exemplaires jusqu'à nos jours et les riches sculptures sur bois et sur ivoire, qui étaient utilisées surtout pour la décoration de bâtiments sacrés, permettent de reconnaître les efforts des Mameluks pour la préservation des traditions artistiques du monde islamique. La détérioration de la situation économique dans la deuxième moitié de l'époque des Mameluks et l'invasion de Timur en Syrie eurent évidemment aussi certaines répercutions négatives sur la création artistique en Syrie et en Egypte. Cependant, des œuvres d'art de très haute qualité nous ont été livrées, provenant de cette période de décadence politique et économique.

Les Osmans

A l'époque où les Mameluks luttaient, après la bataille de la source de Goliath, contre les Mongols pour la souveraineté de la Syrie, on remarqua pour la première fois en Asie Mineure l'existence d'un chef de guerriers habitués au combat. Osman (1281-1326) et son fils Orhan (1326-1361), qui avaient conquis Bursa pour en faire une capitale, étaient les premiers d'une longue série de souverains osmans. Ils supprimèrent l'empire de Byzance en 1453 et assujettirent à leur souveraineté toute la partie méridionale et orientale de la Méditerranée. Ils portèrent même l'islam jusqu'aux portes de l'empire de Vienne (1529 et 1683). C'est seulement lors des catastrophes de la Première Guerre mondiale, que l'état composé de peuplades multiples du sultanat d'Osman, prit fin.

Le pouvoir politique de la Maison osmane correspondit aux activités de construction qui avaient eu lieu sur tout le royaume et au développement de son opulence à la cour d'Istanbul. On peut voir, encore de nos jours, une partie des trésors de cette dynastie dans le palais de Topkapi. Une industrie céramique florissante, qui est liée au nom Iznik (l'ancien Nicaea en Asie Mineure) et qui continua sous le nom de Kütahya, remplit par la production de mosaïques les conditions pour la réalisation polychrome de bâtiments sacrés et de palais osmans. On y produisit aussi des objets rares, qui n'étaient pas seulement appréciés pour leur élégance, mais qui furent aussi exportés vers l'Europe, de façon sporadique, comme articles de grande valeur. L'influence de la porcelaine chinoise est nettement visible dans les premières céramiques turques, mais l'art de la céramique se détacha bientôt de ces modèles, et

Cruche en néphrite, réalisée pour le Safavide Shah Ismail (1501-1524). Istanbul, Topkapi.

tout particulièrement, dans les années suivantes, la tulipe en tant que motif décoratif régna pratiquement sur tous les domaines de l'art artisanal osman (« période de la tulipe » au début du XVIIIe siècle).

La peinture miniature fut très appréciée pendant la période des Osmans. Elle était, de même que la littérature osmane, très fortement influencée par l'art perse. Quant à la langue perse, elle représentait, à la cour des Osmans, le moyen préféré des personnes cultivées pour communiquer entre elles. Un autre domaine artistique important, apprécié dans l'entourage du sultan, était celui des portraits, auquel nous devons des informations sur le phénotype et sur la compréhension des souverains.

La calligraphie, qui a toujours occupé une place importante dans le monde islamique, connut son apogée sous les Osmans et on rapporte même que quelques sultans et beaucoup de hauts dignitaires de l'empire se seraient exercés dans cet art. La Tughra, le symbole du sultan, qui validait les documents, nous montre le degré de raffinement qu'avaient atteint les calligraphies de la cour impériale d'Istanbul.

Parmis les différentes formes d'expression artistique spécialement appréciées dans l'Empire osman, il faut souligner aussi l'art textile, qui ne fut jamais à cours d'inspiration grâce à sa prédilection pour la technique du filet, tout particulièrement somptueuse.

La chute du pouvoir de l'Empire osman, qui eut lieu très rapidement à partir du deuxième état de siège de Vienne en 1683 et qui était – en partie – à imputer à la prise de conscience toujours de plus en plus nette de l'intérêt occidental pour la technologie, permit aux sultans de trouver une issue en adoptant les technologies étrangères. L'influence occidentale ne se limita pas seulement à la technique; elle connut aussi, à partir du XVIIIe siècle, à cause des nombreux éléments artistiques dont s'approprièrent les Osmans, une décadence nettement perceptible. C'est au cours des 25 premières années de notre siècle, après la suppression du sultanat par Kemal Atatürk, que cette tendance atteignit son apogée absolue.

La partie orientale du monde islamique

Nous avons déjà rapidement évoqué les destructions que les Mongols avaient provoquées pendant la première moitié du XIIIe siècle, dans la partie orientale du monde islamique. Sous le règne de Hulaghu, le conquérant et destructeur de Bagdad et de ses successeurs directs, qui à défaut d'être musulmans gouvernaient un empire comprenant la Perse, l'Irak, l'Afghanistan, une partie de la Turquie actuelle, sans oublier le sud de l'ex-Union Soviétique, on ne pouvait pas s'attendre, en premier lieu, à de nouvelles influences positives pour la culture islamique. Cependant, en l'espace de quelques dizaines années seulement, et cela prouve la vitalité de la culture islamique, les domaines qui avaient eu le plus à souffrir sous l'invasion des Mongols se sont développés en de nouveaux centres d'épanouissement artistique.

Les Ilkhanes, souverains mongols de la Perse, qui du point de

Ferrure métallique de la tombe du souverain safavide Shah Thamasp. Vers 1576. Riyad, King Faisal Centre.

vue politique se détachèrent rapidement de l'Empire mongol et reconnaissaient la religion de l'Islam, depuis Gazan (1295-1304), se montrèrent désormais des seigneurs généreux et des mécènes dans les domaines de l'art et des sciences islamiques. Ces différents domaines firent prendre conscience d'une nouvelle vie aux souverains d'origine mongole. Bien que l'empire des Ilkhanes perdît rapidement son unité du fait des nombreux partages d'héritage et de certains développements régionaux, Sultanije et d'autres villes, que s'étaient choisies quelques dynastie comme résidences, sont ainsi devenues des centre significatifs de création artistique. Bien qu'enrichie par de nombreuses influences de la culture d'Asie centrale et d'Extrême Orient, celle-ci n'en avait pas moins conservé son caractère fondamentalement islamique.

Les campagnes, que Timur Lenk (1360-1405 environ) mena en Asie, signifiaient pour beaucoup de villes du monde islamique la fin de leur productivité artistique. Tamerlan, qui s'était élevé au rang de conquérant à l'échelle mondiale depuis un potentat local de Transoxanie, fit amener des villes qu'il avait conquises (Tabriz, Damas, etc.) tous les artisans, les artistes et les savants disponibles dans sa capitale, à Samarkand. Ils devaient contribuer, par leurs compétences, à donner à la ville commerciale transoxane tout l'éclat artistique et culturel qui la transformerait en résidence digne d'un vainqueur planétaire. Timur atteignit ce but ambitieux et Samarkand devint – mais au prix de nombreuses destructions et pertes en vies humaines – une des métropoles les plus représentatives de l'art et de la culture islamiques. Elle servit de modèle au développement culturel de la plupart des centres de pouvoir, dans les années suivantes sur le territoire du monde islamique.

Celui qui a suivi l'histoire des dynasties islamiques ne sera pas étonné que l'empire de Timur connût la décadence dès la mort de son fondateur. Les résidences de ses successeurs, les princes timurides, se développèrent en centres culturels, dans lesquels l'art islamique accéda à un niveau qui ne fut plus égalé jusqu'à nos jours. A Hérat, la peinture livresque islamique et la littérature perse furent tout particulièrement encouragées, et le mécénat des souverains timurides fut surtout pris comme modèle idéal par les successeurs des maisons régnantes.

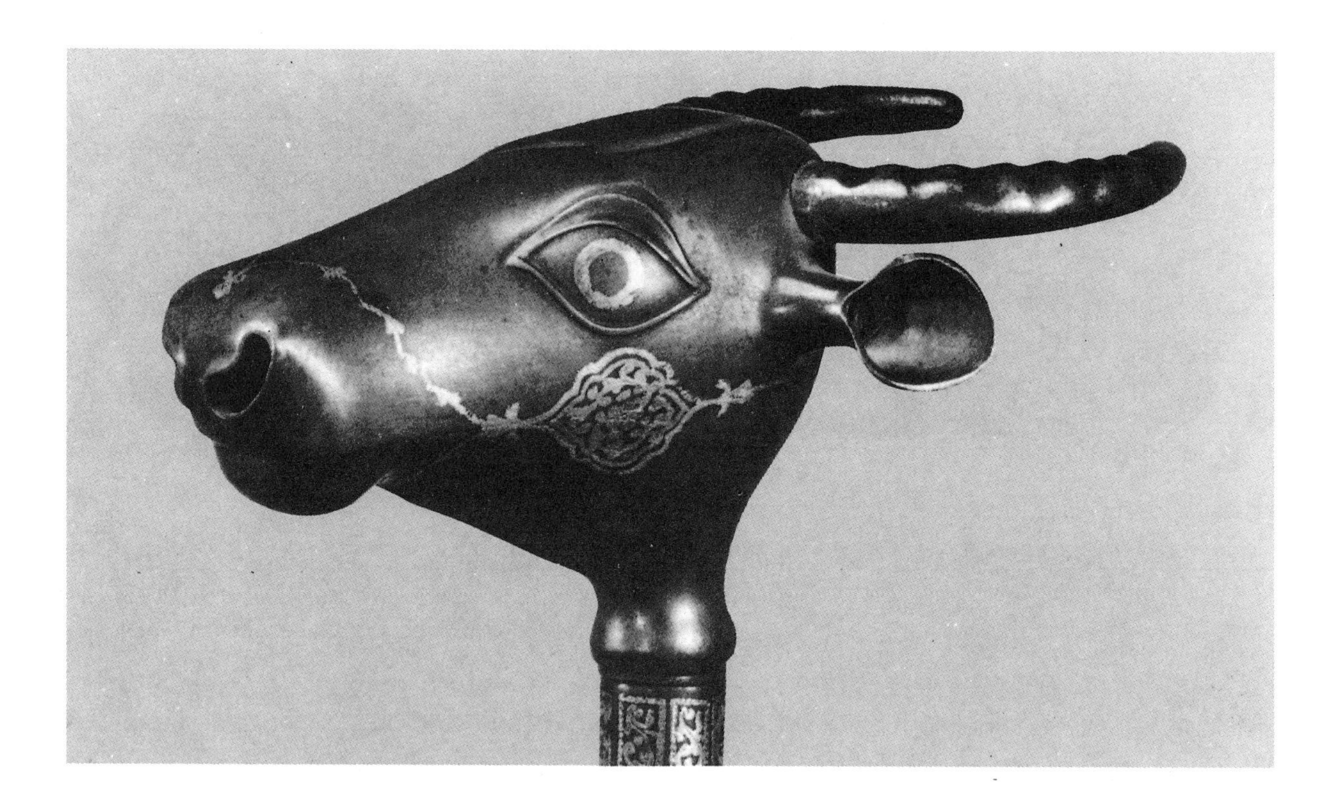

Tête d'un bâton utilisé au cours des cérémonies. Iran, XVIIe et XVIIIe siècles. Berlin, Musée d'art islamique.

Les souverains schaibanides ouzbeks (d'origine turque), qui prirent la succession des Timurides en Transoxanie et qui décidaient du sort de cette région depuis 1500, se sentaient obligés de suivre, dans les domaines culturels et artistiques, les traditions des princes timurides.

C'est aussi valable pour la dynastie des Baburs venant également de Transoxanie – qui, en 1504, envahit l'Inde et y fonda l'Empire moghol. La richesse du pays, le haut développement de la culture à la cour des souverains musulmans et le pouvoir politique des successeurs de Babur amenèrent les européens, qui arrivaient en Inde, à ne parler que de « Grand Empire moghol ». L'Empire moghol, qui impressionnait si fortement les Europeens par l'étalement de son opulence et sa grande culture, fut marqué du point de vue culturel par les actions de Timur et de ses successeurs, protecteurs de l'art. Au centre perse même, Shah Ismail (1501-1524) créa une des bases chiites composant l'Etat théocrate qui fut exterminé au cours des siècles suivants, lors des luttes contre les Osmans orthodoxes. Les Safavides aussi sont devenus célèbres pour avoir développé un art de cour raffiné jusqu'à l'extrême. Même leurs ennemis les plus acharnés, les sultans osmans, ne purent se soustraire à l'influence que la culture perse exerça pendant la période la plus glorieuse des Temps modernes.

Les Safavides furent exterminés en 1736 par Nadir Shah, un Turcoman aux grandes ambitions guerrières. Sa campagne vers l'Inde, qui se termina par la destruction de Dehli, enrichit le trésor perse du célèbre « trône du Paon ». Cependant, une décadence culturelle est perceptible pendant la période post-safavide. Les produits d'artisanat perse de l'époque de Nadir Shah et de l'époque de la dynastie des Kadschares (1779-1924) prouvent cependant leur volonté de continuer à produire un artisanat de haute qualité, même si la production se caractérise bien souvent par son manque d'originalité.

Illustrations en couleurs

33 Page du Coran, provenant d'un manuscrit sur papier. Grenade, XIIIe siècle ; 32,6 × 25,6 cm. Collection privée, Malaisie.

34/35 Feuille calligraphiée avec motifs d'oiseaux qui sont représentés d'après des descriptions religieuses. Palestine, 1889/90 ; 34,1 × 47,8 cm. Collection privée.

36 Cruche en laiton avec inscriptions damasquinées en argent et personnages en médaillons. Perse occidentale, XIVe siècle ; 33 cm de haut.

37 Pot métallique avec couvercle (anse cassée) muni de bandes d'arabesques et d'inscriptions (verset d'Hafiz), damasquiné en or et en argent. Chorasan (Herat ?) ; seconde moitié du XVe siècle. 18,5 × 15,5 cm.

38 Astrolabe fabriqué probablement au Maroc et donné à une mosquée. Les peuples islamiques du monde occidental possédaient depuis longtemps l'art de construire des appareils pour déterminer la position d'un point géographique, et cela jusque dans les Temps modernes ; 1650 environ ; 17,2 cm de diamètre.

39 Olifant en ivoire de tradition fatimide. Italie du Sud (Sicile ?), XIe/XIIe siècles ; les ferrures métalliques proviennent d'une période ultérieure. Koweit, Musée national.

40 Haut. Parfumoir damasquiné en argent et en cuivre. Le couvercle manque ; l'artisan s'appelle Muhammad ibn Khutlukh al Mawsili. Damas, 1230/1240 environ ; 11,2 cm de haut, 26 cm de long. Aron Collection.

40 Bas. Couvercle métallique damasquiné en or et en argent de l'Egypte de la période des Mamelouks (appelé « fonts baptismaux » de saint Louis). Fin du XIIIe siècle. 40 cm de diamètre. Paris, Musée du Louvre.

41 Gobelet en verre émaillé avec des représentations de cavaliers. Syrie (Alep), 1260 environ ; 15 cm de haut. Paris, Musée du Louvre.

42 Lampe de mosquée en verre avec des décors peints en émail et en or. Syrie, Alep, 1300 environ ; 34 × 24,8 cm. Berlin, Musée d'art islamique.

43 Haut. Coupe avec peinture lustrée. Décor floral agrémenté de représentations de lapins, on le faisait souvent dans l'art textile égyptien. 21,4 cm de diamètre. Egypte, Xe siècle. Athènes, Musée Benaki.

43 Bas. Coffret en ivoire réalisé par des artisans musulmans, à Palerme, pour la cour normande. XIIe siècle. Berlin, Musée d'art islamique.

44 Cruche damasquinée en argent et en cuivre. Le récipient réalisé à Chorasan (Herat) montre un décor riche en figures et en inscriptions. XIIe/XIIIe siècles ; 44,5 cm de haut. Nuhad es Said Collection.

45 Bougeoir en bronze damasquiné en or et en argent. Les inscriptions citent comme mandant un prince ayyubide qui régna pendant la première moitié du XIVe siècle sur Alep et Damas. Nuhad es Said-Collection.

46 Parfumoir à damasquinages somptueux. Le récipient de la période des Mameluks fut fabriqué soit en Egypte soit en Syrie, et les inscriptions citent le nom du sultan Muhammed Ibn Qala'un (1294-1340) ; 36,5 cm de haut. Nuhad es Said Collection.

47 Représentation d'un automate qui, sous l'aspect d'une jeune fille offre du vin. D'un manuscrit sur les équipements techniques d'al Jazari provenant de l'Egypte du temps des Mameluks (1315). Koweit, Musée national.

48 Page du « Kitab al Diriyak », ouvrage sur la fabrication de remèdes contre les poisons. Irak, 1199. 37 × 29 cm. Paris, Bibliothèque nationale.

49 Petite coupe peinte de façon lustrée couleur or et représentant des gazelles. Irak, Xe siècle ; 12,6 cm de diamètre. Munich, Fritz Lehnhoff – Art islamique.

50 Coupe peinte au bleu de cobalt sous un vernis transparent. Iran (Kashan ?), XIIe ou XIIIe siècle ; 22 cm de diamètre, 9,5 cm de haut. Munich, Fritz Lehnhoff – Art islamique.

51 Coupe aux motifs figuratifs et aux inscriptions pseudo-coufiques sur le bord. Décor Mina'i. Iran (Kashan ?), fin du XIIe siècle ou début du XIIIe siècle ; 19,5 cm de diamètre. Munich, Fritz Lehnhoff – Art islamique.

52 Coupe à la paroi bombée et décorée de léopards entourés de vrilles dans des médaillons à miroir (appelée « bien de Sultanabab »). Iran, Ilkhanide, fin du XIIe siècle ; Munich, Fritz Lehnhoff – Art islamique.

53 Plat muni de pieds étroits et d'ornementations florales caractéristiques des objets d'Iznik (tulipes, hyacinthes, roses, etc.). Turquie, Iznik, seconde moitié du XVIe siècle. Munich, Fritz Lehnhoff – Art islamique.

54 Surface de mosaïque avec des niches à prières désignant aux musulmans la direction de la prière. Le texte se trouvant dans la niche centrale contient l'invitation à croire en Dieu, tandis que l'écriture au-dessus de la voûte cite, en dehors du nom d'Allah, les noms des quatre premiers khalifes. Les neufs mosaïques carrées proviennent d'un mausolée de Damas qui fut rénové sous le règne du sultan osman Suleiman III (1687-1691), 68,5 × 68,5 cm ; Fritz Lehnhoff – Art islamique, Munich.

55 Bordure de mosaïque d'un revêtement mural de la période osmane. 24,8 × 15,2 cm. Syrie (?), XVIIe siècle. Munich, Collection privée.

56/57 Tissu en soie, détail provenant d'un habit de fête turc. Milieu du XVIe siècle ; Istanbul, Topkapi.

58 Haut (gauche et droite). Boîte du Coran en bois avec des placages en ivoire, en bois d'ébène, en nacre, en écaille et en argent. Turquie, seconde moitié du XVIe siècle. Istanbul, Türk ve Islam Eserleri Müzesi.

58 Bas. Pierre ornementale en jade, polie à huit facettes. Une grande pierre de cristal de roche au centre est entourée de six petites pierres garnies de velours rouge dans leur chaton. 14,5 cm de diamètre ; osmane, XVIIe siècle. Völkerkundemuseum, Munich.

59 Cruche rehaussée de bijoux en jade, avec couvercle. Turquie, seconde moitié du XVIe siècle ; 17,7 × 10,2 cm. Istanbul, Topkapi.

60 Casque d'apparat en fer, à décor floral damasquiné en or, serti de turquoises et de rubis ; 28 cm de hauteur. Osman, fin du XVIe siècle. Istanbul, musée Topkapi.

61 Haut. Tughra du sultan Süleiman, 1550 environ. Le Tughra était le signe du sultan pour la représentation calligraphique dans la chancellerie, ce qui donnait sa validité juridique à un document.

61 Bas. Pages provenant du Diwan-i Muhibbi. Le sultan Suleiman (1520-1566) se servait du pseudonyme de Muhibbi pour écrire ses nombreux poèmes. L'écriture somptueuse est à dater de l'année de la mort du souverain ; 26,2 × 16,5 cm ; musée de Topkapi, Istanbul.

62 Carrelages avec décors en relief et inscriptions somptueuses provenant de la 49e partie du Coran ; 35,5 × 33,5 cm ; Kashan, Iran, XIIIe siècle. Fritz Lehnhoff – Art islamique, Munich.

63 Plateau en jade, serti de bijoux, qui fut probablement utilisé comme revers d'un miroir. Inde, XVIIe/XVIIIe siècles ; 27,4 × 18,6 cm. Paris, musée André Jaquemart.

64 Partie inférieure d'une pipe à eau (Hukka), en alliage noirci, avec damasquinages en argent et en laiton. Deccan ou Inde du Nord, XVIIe siècle ; 18,6 × 16,8 cm. Londres, musée Victoria & Albert.

دار السلم ويهدي من
يشا الى صرط مستقيم
للذين احسنوا الحسنى
وزيادة ولا يرهق
وجوههم قتر ولا

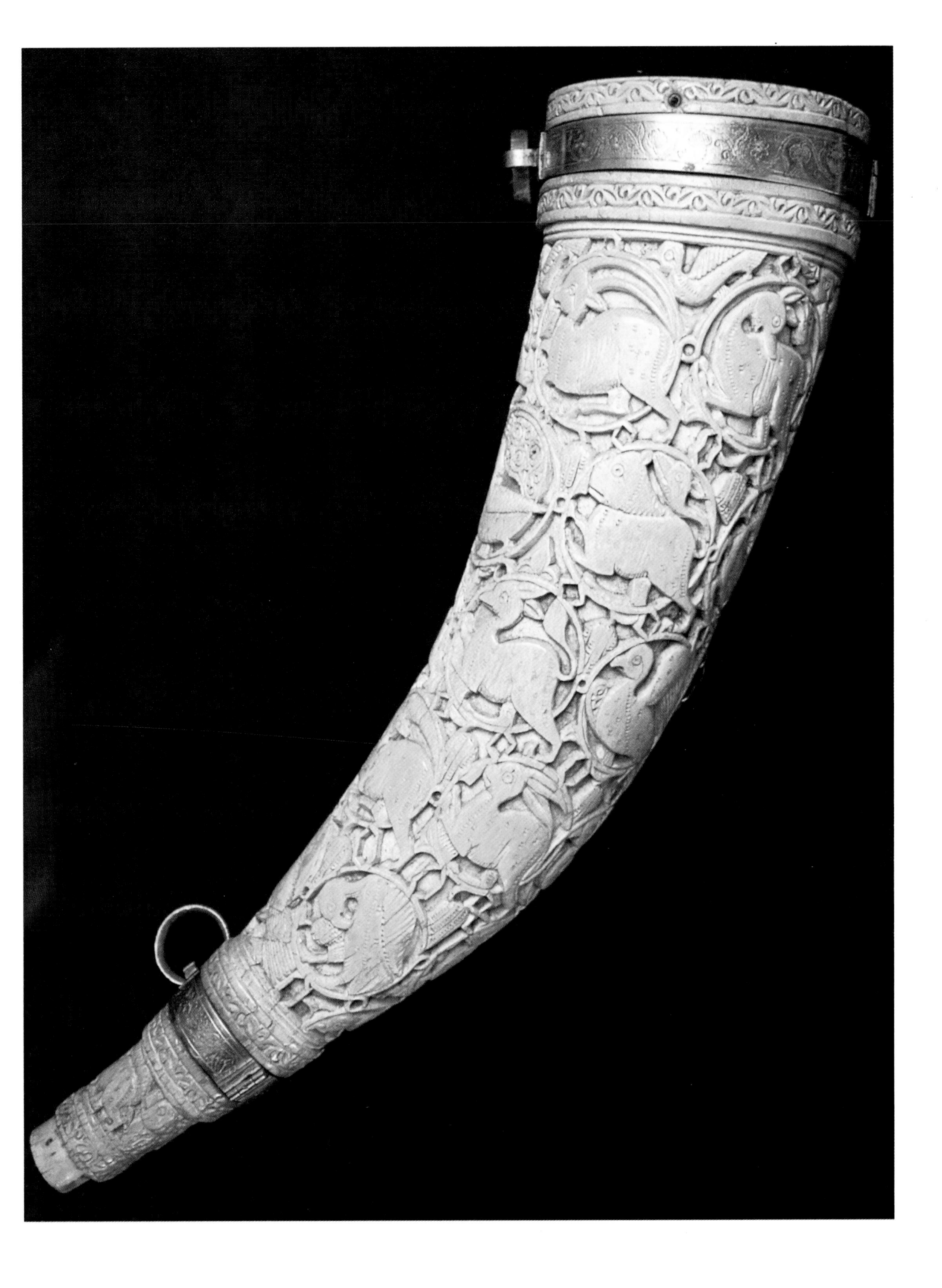

الشراب في اعلى الخزانة
وعليه ك فمن الواضح انه
متى مليت الخزانة شرابا
فانه يقطر الى الكفة فتمتلي
في مُدة ثمن ساعة وتفرغ
ما فيها الى حوض الكفة
فينصب دفعة واحدة الى
قدح زجاج في كف الجارية
فيثقل القدح ويرفع عطفه
القضيب من السفود فتجري
الجارية وتدفع المصراع
الايسر بيدها اليُسرى
وفيها المنديل فينفتح المصراع
الايمن ولا يماس القدح
وتقف بحالها فياخذ الملك
القدح من يدها ويشرب
ما فيه وان شاء مسح فاه
بالمنديل ثم يضع القدح في
يدها ويحطها الى اسفل
ويدفع الجارية برفق الى ان
يمنعها مانع ويرفع يدها الى

قردمانا
قنه
دارصيني
دوقو
فو
اصل السوس

الله محمد ابو بكر عمر
توكلت على الله
عثمان
علي

فضل الله على خلقه قال النبي صلى الله عليه وسلم لو كان

فضل الله على خلقه قال النبي صلى الله عليه وسلم لو كان

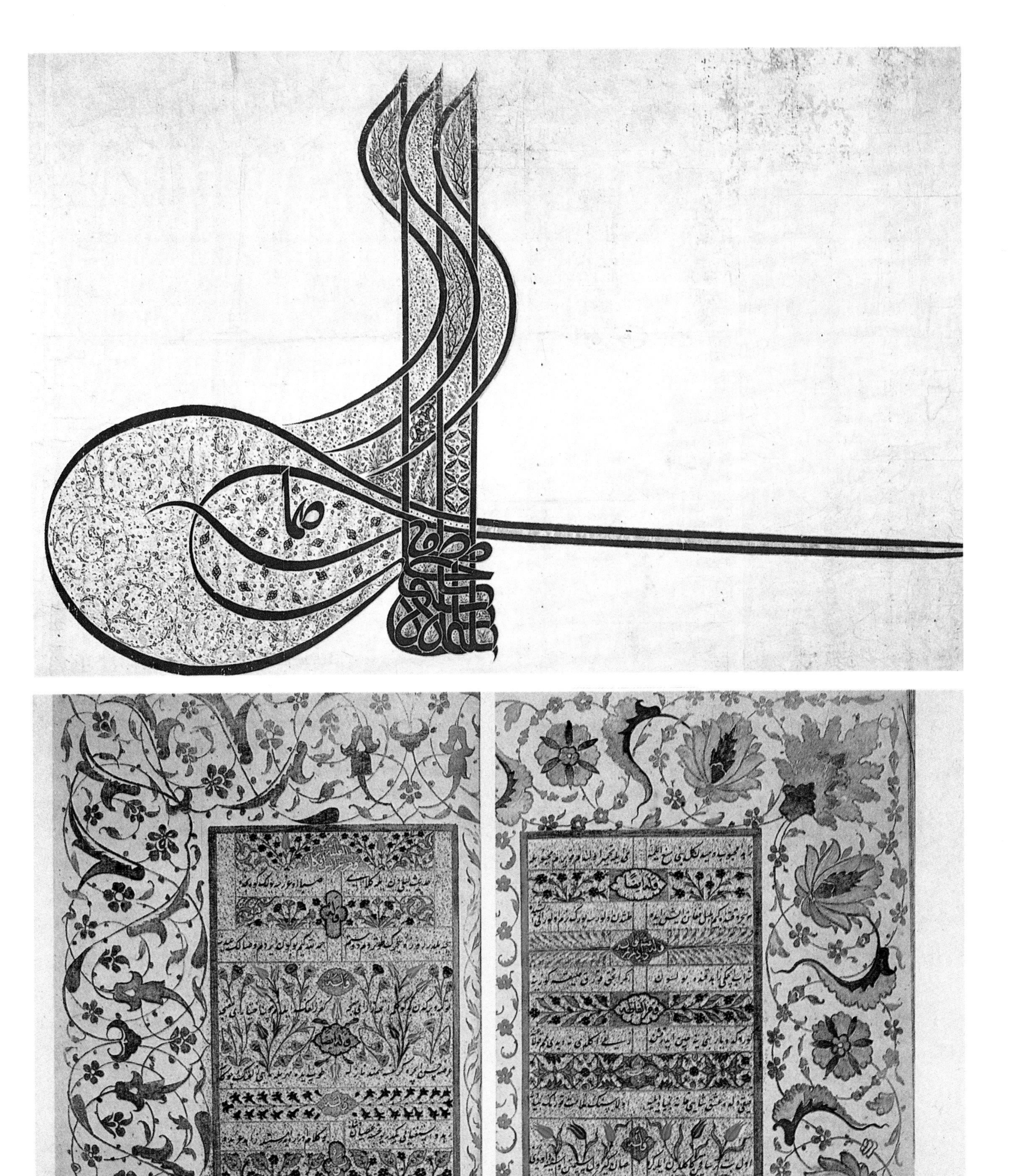